Serginho Rodrigues

Nossa Amiga
Fátima

EDITORA
SANTUÁRIO

Direção Editorial: Pe. Fábio Evaristo R. Silva, C.Ss.R.
Coordenação Editorial: Ana Lúcia de Castro Leite
Revisão: Ana Lúcia de Castro Leite
Luana Galvão
Diagramação e Capa: Mauricio Pereira
Ilustração: Wendell Rubio

Dados Internacionais de Catalogação na Publicação (CIP)
(Câmara Brasileira do Livro, SP, Brasil)

Rodrigues, Serginho
   Nossa amiga Fátima / Serginho Rodrigues; [ilustração Wendell Rubio]. – Aparecida, SP: Editora Santuário, 2018.

   ISBN 978-85-369-0526-6

   1. Maria, Virgem, Santa – Literatura infantojuvenil 2. Nossa Senhora de Fátima – Literatura infantojuvenil 3. Santas cristãs – Biografia – Literatura infantojuvenil I. Rubio, Wendell. II. Título.

17-10399 CDD-028.5

Índices para catálogo sistemático:

1. Santas cristãs: Biografia e obra: Literatura infantojuvenil 028.5

4ª impressão

Todos os direitos reservados à **EDITORA SANTUÁRIO** – 2024

Rua Pe. Claro Monteiro, 342 – 12570-045 – Aparecida-SP
Tel.: 12 3104-2000 – Televendas: 0800 - 0 16 00 04
www.editorasantuario.com.br
vendas@editorasantuario.com.br

Portugal é um país europeu,
glorioso em tudo o que faz.
Entre as tantas cidades que abriga,
existe Fátima, a famosa cidade da paz.

A calma cidadezinha, subdivisão do Conselho de Ourém, fica na região de Lisboa e do Rio Tejo e pertence ao Distrito de Santarém.

Entre os bairros da bela cidade, há um chamado Aljustrel. Ali, três pequenos pastores receberam um amigo do céu.

Um Anjo desceu das alturas
e com eles rezou o Rosário.
Pediram pelos pecadores,
como Cristo rezou no Calvário.

E esse encontro celeste
abriu um caminho de luz,
por onde viria depois
a mãe do Senhor Jesus.

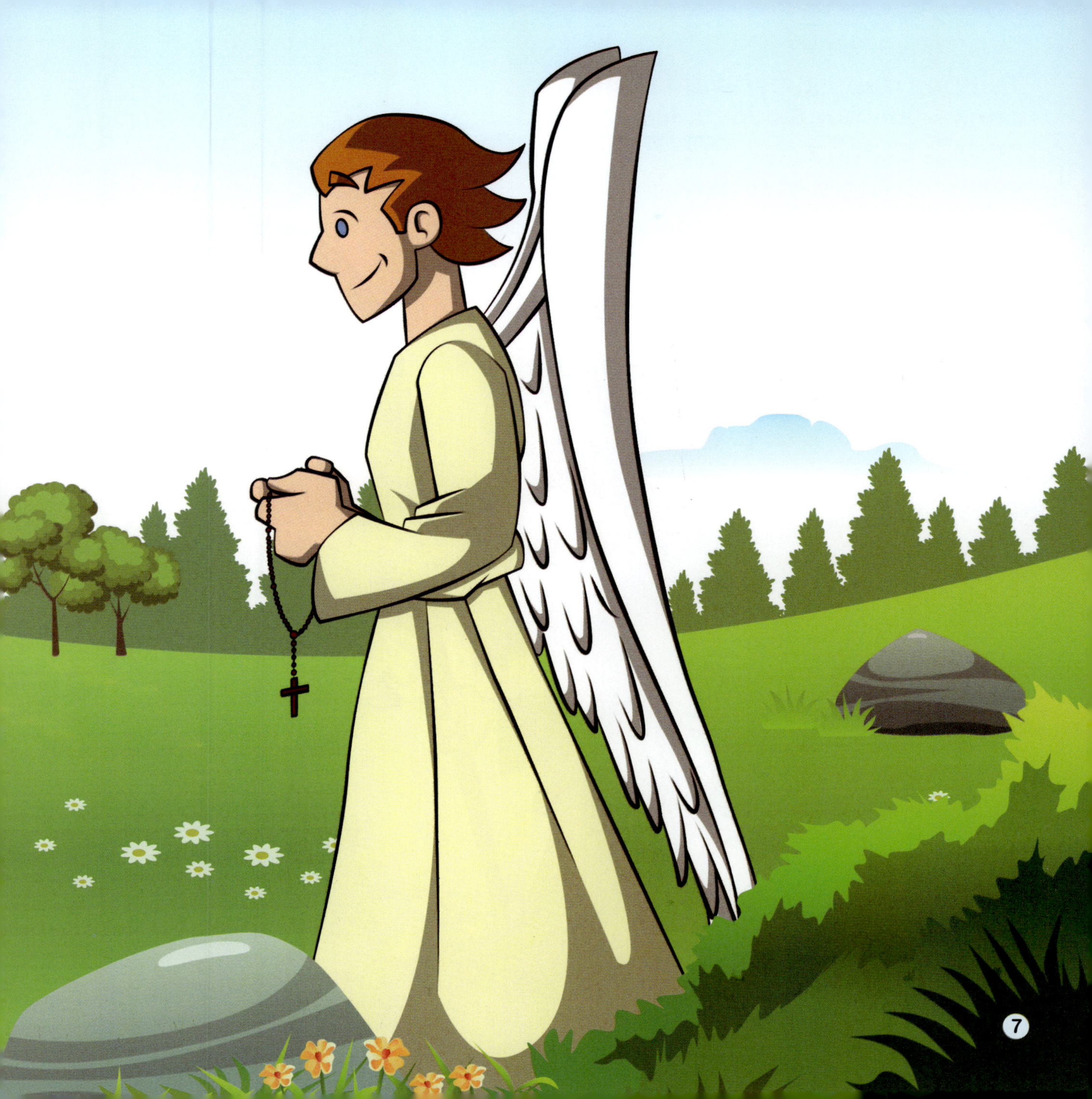

Tempos depois, estavam num vale, conhecido por Cova da Iria, onde Lúcia, Francisco e Jacinta contemplaram a Virgem Maria.

Era 1917,
meio-dia de 13 de maio,
quando, mesmo com o céu bem clarinho,
eles viram um brilho de raio.

E sobre uma arvorezinha, com o Rosário na mão, a Santa pediu às crianças uma vida de fé e oração.

Foram seis os santos encontros, e, em cada, ela tinha um recado. A partir de agora, faremos um resumo do comunicado.

OUTUBRO 1917 — 13

SETEMBRO 1917 — 13

AGOSTO 1917 — 19

MAIO 1917 — 13

JUNHO 1917 — 13

JULHO 1917 — 13

Em maio, pediu para que rezassem pela conversão dos que ferem a Deus e por aqueles que andam perdidos, no caminho dos homens ateus.

ESCOLA

Em junho, pediu às crianças
que aprendessem a ler.
Assim, valorizou o ensino
e os milagres que ele pode fazer.

⑬

Em julho, pediu orações
pelo fim dos horrores da guerra,
que matava milhões e feria
multidões pela face da terra.

Em agosto, prometeu um milagre, para acabar com a descrença do povo e, assim, mostrar que é possível a construção de um mundo novo.

Em setembro, pediu, novamente, orações pelo fim do combate e alertou que a paz dependia dos homens de boa vontade.

E, durante as aparições, pediu a consagração das nações do mundo inteiro a seu Imaculado Coração.

Em outubro, para que o povo cresse,
como o barco que crê no farol,
ela cumpriu sua promessa
com o famoso Milagre do Sol.

A chuva caía intensa, mas parou, e quem teve fé viu o sol dançar pelo céu os passos de um lindo balé.

Os sinais de Nossa Senhora pediam a todos se afastarem do mal. Do contrário, mais guerra viria para acabar com a paz mundial.

A Primeira Guerra acabou,
mas o silêncio rompeu-se num grito.
Como o povo seguia errando,
teve a terra um segundo conflito.

E o mundo só encontrou a paz, desde a Rússia aos Estados Unidos, quando o Papa e todos os Bispos celebraram todos reunidos.

Consagraram todos os países ao Imaculado Coração de Maria. Assim, tudo foi consumado e cumpriu-se toda a profecia.

Desde então, os milagres da Santa se espalharam pelo mundo afora. Os primeiros foram três pastorinhos escolhidos por Nossa Senhora.

O MILAGRE DO SOL

Hoje Lúcia, Francisco e Jacinta
são Santos e moram no céu.
Aceitaram a dura tarefa
de tornar nosso mundo fiel.

Essa história nos mostra que Deus sempre renova a Aliança e que a ponte entre o mundo e Ele tem como alicerce a criança.

"Deixai vir a mim os pequenos",
certo dia o Mestre falou.
E também foram três pequeninos
os que Nossa Senhora chamou.

Sejamos iguais às crianças,
que ensinam, num simples sorriso,
como entrarmos no Reino de Deus
e vivermos bem no Paraíso.

E, por fim, peçamos a Deus
que nos faça bondosos também,
iguais a Lúcia, Francisco e Jacinta,
os três pastorinhos, amém.

Ave-Maria

Ave, Maria, cheia de graça,
o Senhor é convosco,
bendita sois vós entre as mulheres
e bendito é o fruto do vosso ventre, Jesus.

Santa Maria, Mãe de Deus,
rogai por nós, pecadores,
agora e na hora de nossa morte.
Amém.

31

Este livro foi composto com as famílias tipográficas Arial Rounded MT Bold
e impresso em papel Couchê Brilho 115g/m² pela Gráfica Santuário.